Adapté du japonais par Florence Seyvos

© 2008, l'école des loisirs, Paris, pour l'édition en langue française
© 2007, Setsuko Hasegawa, pour le texte
© 2007, Makoto Tachibana, pour les illustrations
Titre de l'édition originale : « Gyouza Gyu Gyu » (Merry Chiaotzu-making)
Fukuinkan Shoten Publishers, Inc., Tokyo, Japan, 2007
Loi numéro 49 956 du 16 juillet 1949 sur les publications destinées à la jeunesse : mars 2008
Dépôt légal : mars 2010
Imprimé en France par Aubin Imprimeur à Poitiers
ISBN 978-2-211-09600-3

Makoto Tachibana • Setsuko Hasegawa

Mercredi, c'est raviolis !

l'école des loisirs
11, rue de Sèvres, Paris 6e

Aujourd'hui, ma sœur et moi allons préparer de la pâte à gyôza.
Les gyôza sont des raviolis japonais.

D'abord, on met de la farine.
Mmmm, c'est doux !

Ensuite, on ajoute de l'eau,
mais très doucement.
Flic flac flic.

Et on mélange en tournant
avec les baguettes.

«Ah, ça colle!»

« Continue ! Ce n'est pas
encore assez mélangé ! »

« Quand ça devient épais,
tu pétris avec les mains. »

« Mais qu'est-ce
que ça colle ! »
« C'est pas grave.
Malaxe bien ! »

Ensuite, il faut tourner
et retourner la pâte.
Ça fait ploup dans un sens
et ploup dans l'autre.

Quand la pâte fait une boule souple et lisse,
on la couvre avec un torchon mouillé.
Et on la laisse reposer.

Une minute, deux minutes, trois minutes… Dix minutes, vingt minutes…
« Encore ? Tu es sûre ? »

Il faut que ça fasse trente minutes.
Et même un tout petit peu plus. Alors, on pétrit une nouvelle fois.

On farine la table,
pour empêcher que ça colle.
« Allons-y ! »

On l'aplatit, plaf! On la replie, pouf, pouf!
On la ramasse et on recommence.

Maintenant, la boule de pâte
est toute lisse et toute douce.
Si tu enfonces ton doigt, c'est
très moelleux. Ça fait pouitt !

« C'est comme le sein de maman. »
« Tais-toi. Au lieu de dire des bêtises,
fais des petits morceaux. »

« Ensuite, tu prends un petit morceau, et
tu le roules pour en faire un serpent. »
« Regardez ! De mes mains
sort un serpent ! »

Avec chaque serpent,
on refait des petits morceaux.
Et, avec les morceaux,
on fait des boulettes !
Une boulette, deux boulettes,
trois boulettes, quatre boulettes…

Ensuite, il faut aplatir chaque boulette,
bien fort, avec la paume de la main.
« Vas-y, fais plein de boulettes
toutes plates. »

« Maman, il nous faut
deux rouleaux ! »

On les aplatit avec le rouleau, pour qu'elles soient plates comme des crêpes. Et voilà, les enveloppes des gyôza sont prêtes.

« Regarde, avec les trous ça fait une tête de chat. »
« Oui, mais comme gyôza, c'est raté. »

Dans chaque enveloppe, on met la garniture
que maman a préparée.
« Zut, ça sort sur le côté ! »
« Tire sur la pâte
et serre
.... »

Admirez le travail.
Il y a le gyôza pingouin.
Le gyôza monstre.
Le gyôza sac à main...

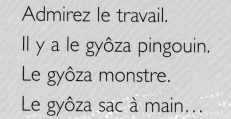

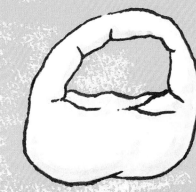

Si on les fait cuire à la casserole,
ce sont des gyôza bouillis.
Bloub bloub bloub !

« Oh, je vois
mon pingouin ! »

Si on les fait frire à la poêle,
ce sont des gyôza sautés.
Pchiii pchiii pchiii !

« Bon appétit ! »

« Mmmmh, qu'est-ce qu'ils sont bons ! »

« C'est normal, c'est nous qui les avons faits ! »

LA VRAIE RECETTE DES GYÔZA, LES RAVIOLIS JAPONAIS

Ingrédients

pour 4 personnes
(environ 20 pièces)

Pour la pâte
175 g de farine
9 cl d'eau tiède (6 à 8 c. à soupe)
1/2 c. à soupe d'huile
1/2 c. à café de sel

Pour la farce
150 g de blanc de poulet cru haché
6 à 8 champignons de Paris
2 cm de blanc de poireau
1 petit morceau de gingembre
1/2 œuf
1/2 c. à soupe de farine
1/2 c. à soupe de Maïzena
sel, poivre
sauce de soja

Préparation

Versez la farine dans un bol et faites un puits au milieu pour y mettre le sel et l'eau tiède petit à petit. Mélangez vigoureusement à la fourchette, puis ajoutez l'huile et pétrissez environ 5 mn jusqu'à ce que la pâte soit homogène.
Faites une boule, posez-la au fond du bol et recouvrez avec un torchon humide. Laissez reposer la pâte une demi-heure.
Pendant que la pâte repose, hachez finement tous les ingrédients de la farce et mettez-les dans un bol.
Ajoutez œuf, farine, Maïzena, sel, poivre et mélangez le tout.

Réalisation des raviolis

Farinez le plan de travail.
Déposez-y la pâte reposée et pétrissez-la de nouveau 5 mn. Comme sur les dessins, prélevez une portion de pâte, roulez-la en boudin, divisez le boudin en petits morceaux dont vous ferez des boulettes. N'en faites pas trop en avance, elles dessèchent vite.
Aplatissez une boulette avec la paume, puis, à l'aide du rouleau fariné, transformez la boulette en crêpe la plus fine possible (diamètre d'un verre à moutarde).

N'oubliez pas de fariner souvent le plan de travail. Déposez au milieu de chaque petite crêpe une cuillerée à café de farce. Repliez la crêpe en demi-lune, puis soudez les bords en commençant au centre. Vous pouvez humecter un bord de la crêpe avant de le replier. Prenez ensuite le ravioli dans la paume de la main, et avec l'autre main faites des plis en allant d'un bord à l'autre. Ainsi, ils tiendront à la cuisson. Déposez-les les uns à côté des autres sur le plan de travail fariné.

Cuisson

À l'eau : plongez délicatement les raviolis dans une grande casserole d'eau frémissante salée et laissez-les cuire à petits bouillons 6 mn.

Frits : versez un peu d'huile au fond d'une grande poêle. Faites-la chauffer à feu assez vif et laissez dorer les raviolis 3 mn environ de chaque côté.

Dégustez les raviolis chauds, trempés dans un bol contenant de la sauce de soja diluée avec 1/3 d'eau.
Si vous en trouvez, vous pouvez y ajouter un peu de vinaigre de riz (qui est légèrement sucré) et de l'huile de sésame.